MODERNER DEUTSCHKURS

ÜBUNGSHEFT

WIR FANGEN AN

E I E ERICSSON
CHRISTIAN EISENBERG

edited by
D F MACGREGOR
A MACKENZIE

CHAMBERS
EDINBURGH

ISBN 0 550 78522 1

Illustrated by Ingrid Lamby

© AB Läromedelsförlagen, Stockholm and
   W & R Chambers, Edinburgh 1970

   Fifth impression 1979

Printed in Great Britain by
Martin's Printing Works, Berwick on Tweed

Ein Ball

A 1. Wer kommt ins Klassenzimmer? 4. Was tut Karl?
2. Was liegt da? 5. Was weiss der Lehrer jetzt?
3. Wie ist Karl?

B Das ist **ein** Ball. Das ist nicht **mein** Ball. Das ist **dein** Ball.
Now do the same with: ein Kopf ein Fuss ein Stuhl.

C Das ist **Karls** Ball. Das ist nicht **mein** Ball. Das ist **sein** Ball.
Das ist **Erikas** Ball. Das ist nicht **mein** Ball. Das ist **ihr** Ball.
Now do the same with: ein Finger ein Arm ein Tisch.

D Was ist das?

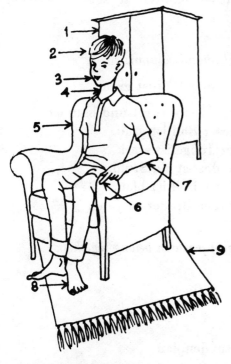

E *Can you solve this crossword?*

WAAGERECHT:

2. —— ist das?
4. Ist das ein Ball
—— ein Korb?
6. Ist das dein ——?
10. Im Klassenzimmer —— ein Ball.
11. Ein Lehrer kommt —— Klassenzimmer.

SENKRECHT:

1. —— liegt ein Ball?
2. —— kommt ins Klassenzimmer?
3. Das ist ein ——?
5. —— liegt ein Ball.
7. Ist das dein ——?
8. Was —— Hans?
9. ——, das ist kein Hut.

Der Ball

A 1. Ist der Ball grau?
 2. Ist der Ball in der Schule?
 3. Was tut der Lehrer?
 4. Was tut der Junge?
 5. Ist der blaue Ball zu Hause?
 6. Was weiss der Lehrer jetzt?

B **Der** Ball ist grau. **Welcher** Ball ist grau? **Dieser** Ball ist grau.

Now do the same with:

Der Mann ist alt.   Der Bruder ist jung.   Der Anzug ist braun.

C **Welcher** Ball ist grau? **Dieser** Ball ist grau, aber nicht **jeder** Ball ist grau.

Now do the same with:

Welcher Schüler ist müde?   Welcher Mantel ist rot?   Welcher Handschuh ist schwarz?

D *Find the matching sentence in the right-hand column:*

e.g. In der Schule ist ein Ball.   Dieser Ball ist grau.

In der Schule ist ein Ball.   Er weiss, was rot und blau ist.
Ist der Bruder jung?   Dieser Ball ist grau.
Zu Hause ist ein Ball.   Der Junge ist stark.
Ist das ein Stuhl?   Ja, das ist ein Stuhl.
Wie ist der Junge?   Dieser Ball ist blau.
Was weiss der Lehrer?   Ja, der Bruder ist jung.

E *Write down the three nouns in each group which belong together:*

1. Mantel, Ball, Schuh, Strumpf
2. Mann, Vater, Lehrer, Arm
3. Sessel, Ball, Tisch, Stuhl
4. Rock, Hals, Mund, Finger
5. Bleistift, Kugelschreiber, Hut, Stundenplan

A 1. Wer ist Hans?
2. Was spielt er sehr gern?
3. Was macht er nicht so gern?
4. Wann geht er nach Hause?
5. Warum muss er sofort baden?
6. Wie ist der Ball?

B Das ist **mein** Ball. **Er** ist gut. Das ist **dein** Ball. **Er** ist schlecht.

Now do the same with:

Das ist mein Garten. (schön)   Das ist mein Bus. (neu)
Das ist mein Onkel. (alt)

C Ist dieser Ball grau? Ja, er ist grau. Ist jener Ball grau? Nein, er ist nicht grau. Er ist rot.

Now do the same with:

Ist dieser Bus voll?   Ist dieser Weg gut?   Ist dieser Korb rund?

D *Find pairs of opposites:*

e.g. jung — alt:

klein	alt
schwer	gross
jung	leer
dünn	leicht
schmutzig	dick
voll	sauber

E *Complete:*

1. Ist das dein Ball? Ja, ——
2. Ist der Bus rot? Ja, ——
3. Ist dieser Tisch gross? Ja, ——
4. Ist dein Teller leer? Ja, ——
5. Wie ist der Mantel? ——
6. Ist mein Bruder zu Hause? Ja, ——
7. Wie ist der Rock? —— ist —— und ——
8. Jetzt —— der Lehrer, welcher Ball ——

Eine Lampe

A 1. Wer ist im Klassenzimmer?   4. Was tut Erika?
   2. Was hängt da?   5. Was weiss die Lehrerin jetzt?
   3. Wer fragt?

B Das ist **eine** Lampe. Das ist nicht **meine** Lampe. Das ist **deine** Lampe.
Now do the same with:
eine Zeitung   eine Nase   eine Wohnung

C Das ist **Karls** Mappe. Das ist nicht **meine** Mappe. Das ist **seine** Mappe.
Das ist **Erikas** Mappe. Das ist nicht **meine** Mappe. Das ist **ihre** Mappe.
Now do the same with:
Katze   Tür   Mütze

D *Can you solve this crossword?*

WAAGERECHT:
1. —— ist im Klassenzimmer?
3. Der Fussball ist schmutzig. Er muss —— nicht baden.
5. Auch der —— -ball ist nass.
7. Er spielt —— gern Fussball.
9. Ist der Lehrer ein ——?

SENKRECHT:
1. Was —— die Lehrerin jetzt?
2. Ist der Teller rund? Ja, —— ist rund.
3. —— dem Fussballplatz ist Hans munter.
4. Ist der Mann ein ——?
6. Das ist Augusts Hut. —— Hut ist alt.
8. Eine Lehrerin ist —— Klassenzimmer.

E Was ist das?

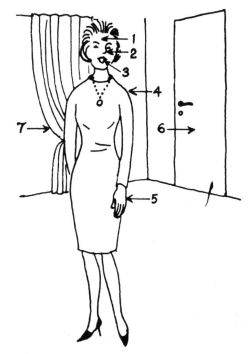

[4]

Die Lampe 5

A 1. Wo hängt die Lampe?   4. Wer antwortet?
   2. Ist sie rot?   5. Wo ist die weisse Lampe?
   3. Was tut die Lehrerin?   6. Ist die Lampe zu Hause gelb?

B **Die** Lampe ist weiss. **Welche** Lampe ist weiss? **Diese** Lampe ist weiss.

Now do the same with:

die Frau (froh)   die Katze (klein)   die Mütze (blau)

C **Welche** Lampe ist weiss? **Diese** Lampe ist weiss, aber nicht **jede** Lampe ist weiss.

Now do the same with:

die Schwester (mager)   die Strasse (alt)   die Flasche (voll)

D *Find the matching sentence in the right-hand column:*
   e.g. Wer fragt? Die Lehrerin fragt.

Wer fragt?	Die Lampe zu Hause ist gelb.
Welche Lampe ist gelb?	Ja, das ist eine Puppe.
Wer antwortet?	Nein, sie hängt im Zimmer.
Ist das eine Puppe?	Nein, sie ist weiss.
Liegt eine Lampe im Zimmer?	Nein, sie fragt.
Ist die Zeitung schwarz?	Die Lehrerin fragt.
Ist das deine Katze?	Die Schülerin antwortet.
Antwortet die Lehrerin?	Ja, das ist meine Katze.

E *Write down the nouns in each group which belong together:*

   1. Katze, Wand, Tür, Lampe
   2. Nase, Hand, Zunge, Stirn
   3. Frau, Lehrerin, Tante, Puppe
   4. Schulter, Backe, Mütze, Hand
   5. Jacke, Hose, Armbanduhr, Bluse
   6. Schwester, Mutter, Schülerin, Tante

Erika

A 1. Hat Erika eine neue Schallplatte?
2. Wie ist die Schallplatte?
3. Geht Mutter einkaufen?
4. Wer ist noch nicht zu Hause?
5. Wo sitzt Erika am nächsten Morgen?
6. Hat sie Angst?

B Das ist **meine** Mappe. **Sie** ist neu. Das ist **deine** Mappe. **Sie** ist alt.

Now do the same with:

die Tasse (leer)   die Schüssel (gross)   die Brücke (schön)

C Ist **diese** Mappe neu? Ja, **sie** ist neu. Ist **jene** Mappe neu? Nein, **sie** ist nicht neu. **Sie** ist alt.

Now do the same with:

die Fähre (billig)   die Lampe (sauber)   die Tasche (gross)

D *Find pairs of opposites:*

schlecht	gut
schwach	faul
teuer	müde
munter	billig
neu	stark
fleissig	alt

E *Complete:*

1. Wie ist die Brücke? —— ist ——
2. Wie ist die Kaffeekanne? —— ist ——
3. Ist die Flasche schwer? Nein, ——
4. Wie ist die Schallplatte? ——
5. Wie ist die Fähre? ——
6. Wie ist die Gabel? ——
7. Ist die Schüssel leer? Nein, ——
8. Ist die Dame schön? Ja, ——

Ein Heft

A 1. Was ist Peter?
   2. Ist er fünf Jahre alt?
   3. Ist er sehr neugierig?
   4. Wer kommt in Erikas Zimmer?
   5. Wer fragt?
   6. Wer antwortet?
   7. Wie fragt das Kind?

B Das ist **ein** Heft. Das ist nicht **mein** Heft. Das ist **dein** Heft.
Now do the same with:
ein Radio   ein Zimmer   ein Auge

C Das ist **Karls** Heft. Das ist nicht **mein** Heft. Das ist **sein** Heft.
Das ist **Erikas** Heft. Das ist nicht **mein** Heft. Das ist **ihr** Heft.
Now do the same with:
ein Buch   ein Bild   ein Gesicht

E Was ist das?

D *Can you do this crossword?*

WAAGERECHT:
1. Erika —— viele Aufgaben.
4. —— fangen an.
5. Erika ist ganz ——
7. Was ist ——?
9. —— fragt?
11. Karl ist ein Junge. — ist müde.
12. Fuss — Bein. Hand — ——

SENKRECHT:
1. Erikas —— ist lockig.
2. Es ist rund und ist auf dem Tisch.
3. Das ist —— Mann.
4. Erika sitzt —— in der Schule.
6. Der — er, die — sie, das —?
8. Wie Nummer 12 waagerecht.
10. Ist der Ball blau? Ja, —— ist blau.

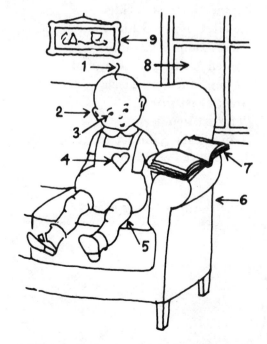

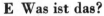

*a**

Das Heft | 8

A 1. Was liegt auf dem Tisch?
2. Wie ist das Heft?
3. Wer fragt?
4. Wer antwortet?
5. Wie ist das Heft zu Hause?
6. Ist Erika fleissig oder faul?

B Das Heft ist blau. **Welches** Heft ist blau? **Dieses** Heft ist blau.
Now do the same with:
das Schaf (weiss)   das Pferd (schnell)   das Hemd (grün)

C Welches Heft ist blau? **Dieses** Heft ist blau, aber nicht **jedes** Heft ist blau.
Now do the same with:
das Kissen (rot)   das Mädchen (fleissig)   das Kind (hungrig)

D *Find the matching sentence in the right-hand column:*

Ist das Heft zu Hause rot?
Welches Band ist lang?
Kennst du viele Farben?
Wie ist das Kissen?
Ist dieses Kind fleissig?
Wessen Haar ist lockig?
Wo liegt das Heft?
Wo sitzt Erika am nächsten Morgen?
Ist das Erikas Pferd?
Wer ist neugierig?

Es ist weich.
Erikas Haar ist lockig.
Sie sitzt in der Schule.
Dieses Band ist lang.
Ja, ich kenne rot, blau und braun.
Es liegt auf dem Tisch.
Nein, es ist grün.
Peter ist neugierig.
Nein, dieses Kind ist nicht fleissig.
Ja, das ist ihr Pferd.

E *Write down the three words in each group which belong together:*
1. Schwein, Junge, Pferd, Schaf
2. Sofa, Bild, Stuhl, Sessel
3. Bus, Zug, Haltestelle, Strassenbahn
4. Gesicht, Nase, Auge, Ohr
5. Mantel, Jacke, Hemd, Tasche
6. Teller, Topf, Kaffee, Schüssel

[8]

Das Kind

A 1. Was sagt Mutter? 4. Was sieht Peter?
2. Ist Peter hungrig? 5. Was hat der Mann?
3. Was bekommt er?

B Das ist **mein** Heft. **Es** ist neu. Das ist **dein** Heft. **Es** ist alt.
Now do the same with:
das Auto (schnell)   das Tischtuch (teuer)   das Fahrrad (alt)

C Ist **dieses** Heft neu? Ja, **es** ist neu. Ist **jenes** Heft neu? Nein, **es** ist nicht neu. **Es** ist alt.
Now do the same with:
das Haus (schön)   das Glas (leer)   das Messer (leicht)

D *Find pairs of opposites:*

langsam   böse
traurig   schnell
lang   hungrig
lieb   hart
weich   kurz
satt   froh

E *Fill in the blanks with ,,er", ,,sie" or ,,es":*
1. Wo ist Karls Hut? —— ist auf dem Tisch.
2. Wie ist Erikas Mutter? —— ist ganz nett.
3. Wo ist der Teppich? —— ist auf dem Boden.
4. Wo ist das Bild? —— ist an der Wand.

Now make up the questions yourself:
1. ——? Er ist in dem Schrank.
2. ——? Es ist dick.
3. ——? Sie ist auf der Strasse.
4. ——? Es ist an der Wand.

A 1. Was liegt unten auf dem Fussboden?
2. Was hängt oben an der Decke?
3. Was steht vorne im Zimmer?
4. Was steht auf dem Schrank?
5. Was steht rechts?
6. Wie sind Augusts Augen?
7. Ist Augusts Nase gross oder klein?

B *Complete the sentences, using the most suitable word or phrase from the list on the right:*

1. Mein Radio steht ——
2. Pauls Lampe hängt ——
3. Die Tür ist ——
4. —— liegt ein Teppich.
5. Erikas Bild hängt ——

links
oben
auf dem Tisch
über dem Sofa
unten

C *Complete:*

1. Ist das Glas leer? Ja, ——
2. Ist die Lampe weiss? Ja, ——
3. Ist der Ball rund? Ja, ——
4. Wie ist die Katze? ——
5. Wie ist das Paket? ——
6. Wie ist der Mann? ——
7. Ist das Geschenk billig? Nein, ——
8. Ist der Mantel alt? Nein, ——
9. Ist der Junge stark? Ja, ——
10. Ist das Flugzeug modern? Ja, ——

A 1. Wie ist Herrn Sauers Mantel?
   2. Wie sind seine Schuhe?
   3. Ist der Hut rot?
   4. Ist der Hut alt?
   5. Wie ist das Hemd?
   6. Wie ist der Schlips?
   7. Hat Frau Süss alte Kleider an?

   8. Wie ist der Rock?
   9. Wie ist die Bluse?
  10. Wie sind die Schuhe?
  11. Wie ist ihr Hut?
  12. Ist Frau Süss immer froh?
  13. Hat sie immer schlechte Laune?

KLEIDER

1. **Der** Hut ist neu. **Er** ist schwarz. Das ist **mein** Hut.
2. **Die** Jacke ist modern. **Sie** ist blau. Das ist **deine** Jacke.
3. **Das** Hemd ist blau. **Es** ist auch weiss. Das ist **Peters** Hemd. Das ist **sein** Hemd.
4. **Die** Bluse ist neu. **Sie** ist weiss. Das ist **Erikas** Bluse. Das ist **ihre** Bluse.
5. **Dieses** Kleid ist kariert, aber nicht **jedes** Kleid ist kariert.

Make sentences about the articles of clothing, using the sentences above as models.

Im Restaurant

A 1. Ist Herr Sauer satt?
   2. Geht er in ein Restaurant?
   3. Was tut er da?
   4. Was steht auf dem Tisch?
   5. Liegt ein Messer auf dem Tisch?

   6. Was isst Herr Sauer?
   7. Was tut ein Hund?
   8. Will er auch etwas haben?
   9. Ist der Hund hungrig?

B *Answer these questions with reference to the picture:*

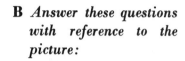

1. Ist der Tisch gedeckt?
2. Hat der Mann gute Laune?
3. Was hängt an der Wand?
4. Isst der Mann ein Ei?
5. Was trinkt der Mann?
6. Liegt ein Löffel auf dem Tisch?
7. Was liegt auch auf dem Tisch?
8. Wo steht die Flasche?

C *Write down the questions to which these sentences are the answers:*

   1. Ja, das Bild ist gut.
   2. Nein, das ist nicht mein Fahrrad.
   3. Nein, nicht jedes Haus ist teuer.
   4. Ja, dieses Ei ist hart.
   5. Nein, das ist deine Flasche.
   6. Ja, das ist sein Arm.
   7. Das ist ein Tisch.
   8. Ja, der Bus ist voll.

Erikas dicker Hund | 13

A 1. Hat Erika einen Hund? 6. Was sagt Erikas Mutter?
2. Ist der Hund ein Jahr alt? 7. Was sagt Erikas Vater?
3. Was für ein Hund ist es? 8. Was tut der Hund gern?
4. Ist er Erikas bester Freund? 9. Schnarcht er?
5. Was sagen die Nachbarn?

B Das ist **ein** Hund. **Er** ist dick. Das ist **ein dicker** Hund.

Now do the same with:

ein Bus (voll)   ein Baum (grün)   ein Garten (schön)

Das ist **eine** Katze. **Sie** ist hungrig. Das ist **eine hungrige** Katze.

Now do the same with:

eine Jacke (schmutzig)   eine Bluse (kariert)   eine Tasse (voll)

Das ist **ein** Bild. **Es** ist schön. Das ist **ein schönes** Bild.

Now do the same with:

ein Fahrrad (grün)   ein Ei (klein)   ein Haus (gross)

C *Complete the following sentences, using the adjectives given:*

1. schön   Es ist ein —— Tag.
2. neu   Ein —— Auto ist auf der Strasse.
3. rot   Die —— Sonne ist am Himmel.
4. dick   Erikas —— Hund liegt in dem Korb.
5. gelb   Das ist ein —— Korb.
6. alt   Im Korb liegt auch Erikas —— Puppe.
7. schnell Da fährt ein —— Zug.
8. lang   Montag ist ein —— Tag.
9. leer   Auf dem Tisch steht eine —— Flasche.
10. frisch In dem Schrank hängt ein —— Hemd.

Karl und Hans

A 1. Will Hans ins Kino gehen?
2. Hat er viel Geld?
3. Isst er zu viel Schokolade?
4. Ist Karl immer hungrig?
5. Verkauft Hans den alten Fussball?
6. Geht Hans ins Kino?
7. Geht Karl ins Kino?

B *Look at these numbers. In each case give (in words) the next three consecutive numbers, e.g.:*

2, 3, 4—fünf, sechs, sieben

4, 5, 6	46, 47, 48
17, 18, 19	66, 67, 68
28, 29, 30	12, 13, 14
33, 34, 35	21, 22, 23

C *Add the following numbers together, e.g.:* Was macht zwei und zwei? Zwei und zwei macht vier.

$2+3 =$	$17+39 =$
$4+7 =$	$18+46 =$
$6+8 =$	$21+10 =$
$9+12 =$	$32+16 =$
$14+11 =$	$46+20 =$
$13+24 =$	$55+45 =$
$15+25 =$	$700+300 =$

D *Subtract, e.g.:* Was ist neun weniger drei? Neun weniger drei ist sechs.

$9-3 =$	$50-20 =$
$20-4 =$	$62-21 =$
$30-8 =$	$74-52 =$
$41-11 =$	$100-86 =$

E *Multiply, e.g.:* Was ist zweimal zwei? Zweimal zwei ist vier.

$3 \times 2 =$	$8 \times 9 =$
$2 \times 3 =$	$11 \times 12 =$
$4 \times 6 =$	$10 \times 15 =$
$5 \times 7 =$	$30 \times 4 =$

Im Lebensmittelgeschäft

A 1. Geht Frau Süss einkaufen?
   2. Geht sie ins Lebensmittel-
     geschäft?
   3. Was kauft sie?

4. Hat sie ihre Katze vergessen?
5. Ist sie froh oder traurig?

B Die Bälle sind rund.
Die Lampen sind weiss.
Die Hefte sind blau.

Write similar sentences, using the nouns below:

MASC.	FEM.	NEUT.
Stuhl	Lampe	Heft
Ball	Kirche	Paket
Baum	Puppe	Geschenk
Korb	Zeitung	Boot
Hut	Tafel	Brot
Schrank	Mappe	Haar
Topf	Wohnung	Bein
Stundenplan	Gardine	Schaf
Kopf	Gabel	Schwein
Platz	Tür	Pferd
Fuss	Nase	Kostüm
Anzug	Backe	Flugzeug
PLUR.	PLUR.	PLUR.
¨e	-(e)n	-e

A 1. Geht Herr Sauer zum Friseur?
2. Hat er gute Laune?
3. Was hat Herr Sauer?
4. Was liest er?
5. Was betrachtet er?
6. Warum kommt er nicht wieder?

B Das ist **ein runder** Ball. **Bälle** sind immer **rund.**

Following the model above, write sentences using the nouns given below and the adjective „rund":

1. Hut   2. Tasse   3. Uhr   4. Topf

5. Mütze   6. Kaffeekanne   7. Flasche   8. Kopf

C **Die Beine** sind kurz.
Die Füsse sind gross. Usw.

Form sentences on this pattern, using the objects on p. 35 of the textbook.

D *Can you solve this puzzle?*

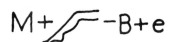

Der Wecker

A 1. Wo sind die Schüler?
   2. Wer schläft?
   3. Warum schläft er?

   4. Ist Erika munter?
   5. Warum wacht Hans auf?
   6. Warum streckt er die Hand aus?

B *Answer these questions, using „Ja" or „Nein":*

   1. Ist der Schüler müde?
   3. Ist der Lehrer munter?
   5. Ist der Bruder alt?
   7. Ist der Vater jung?
   9. Ist der Teller rund?
  11. Ist der Wecker schlecht?

   2. Sind die Schüler müde?
   4. Sind die Lehrer munter?
   6. Sind die Brüder alt?
   8. Sind die Väter jung?
  10. Sind die Teller rund?
  12. Sind die Wecker schlecht?

C *Write in the plural:*

   1. der Arm
   2. der Hund
   3. der Punkt
   4. der Schuh
   5. der Tag

D *Write the questions and the answers:*

Ich bin Karl.
1. Frage mich, ob ich stark bin!
2. Frage mich, ob ich hungrig bin!
3. Frage mich, ob Erika jung ist!
4. Frage mich, ob Hans in der Schule müde ist!
5. Frage mich, ob Herr Müller alt ist!

Herr Müller ist müde

A 1. Wann kommt der Lehrer wieder in die Klasse?
2. Sind Erika und Hans müde?
3. Wer gähnt?
4. Warum gähnt er?
5. Was fragt Karl den Lehrer?
6. Sind die anderen Klassen müde oder munter?

B **Die Bälle sind auf dem Fussballplatz.**

Stuhl	Schrank	Baum
Paket	Geschenk	Flugzeug
Schaf	Brot	Stundenplan

Benutze diese Wörter im Plural und sage, wo die Sachen sind:

z.B. Die Stühle sind im Zimmer. Die Pakete sind in der Schule. Usw.

Auf der linken Seite in den Texten 17-18 im Lehrbuch findest du Vorschläge, wo die Sachen zu finden sind.

C **Der Lehrer ist neugierig. Die Lehrer sind neugierig.**

Löffel	Zimmer	lang	warm
Finger	Kugelschreiber	schmutzig	blau
Messer	Fenster	scharf	offen

Schreibe hier auch Sätze und sage, wie die Sachen sind:

z.B. Die Löffel sind lang. Die Finger sind schmutzig. Usw.

D **Wir sind hungrig, ihr seid satt.**

Schreibe andere Sätze und sage, wie wir sind und wie ihr seid.

[*18*]

E *Schreibe die Fragen und die Antworten!*

Ich bin Herr Müller.
1. Frage mich, ob ich sehr alt bin!
2. Frage mich, ob Erikas Hund hungrig ist!
3. Frage mich, ob Erika und Hans müde sind!
4. Frage Hans und Karl, ob sie faul sind!
5. Frage mich, ob ich stark bin!

Herr Müller ist nett | 19

A 1. Ist Herr Müller alt oder jung?
2. Wer fragt Herrn Müller, wie alt er ist?
3. Sind Erika und Hans hungrig?
4. Wer ist hungrig?
5. Will der Lehrer laut sprechen?

B Das Kind ist fleissig. Kinder sind oft fleissig.

Schreibe ähnliche Sätze mit diesen Wörtern!

Kleid	bunt	Ei	weiss
Buch	grün	Feld	gross
Bild	schön	Haus	modern

C **Ich bin** nicht müde. **Ich bin** munter.
Du bist nicht müde. **Du bist** munter.
Er ——
Wir ——
Ihr ——
Sie ——

then	sofort	very	zuerst
unfortunately	sehr	soon	schon
not	dann	first	übrig
almost	nicht	today	sicher
left over	heute	immediately	bald
certainly	leider	already	fast

Auf dem Fussballplatz | 20

A 1. Wer geht auf den Fussballplatz?
2. Was beginnt bald?
3. Wie sind die Leute?
4. Wie steht es in der Halbzeit?

5. Welche Mannschaft ge-winnt?
6. Trifft Hans zwei Freunde auf dem Heimweg?

B Dieser Apfel **ist** rot. Alle Äpfel **sind** aber nicht rot.

Schreibe ähnliche Sätze mit diesen Wörtern!

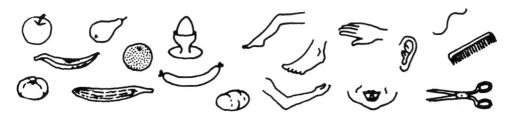

Wenn du Probleme mit dem Geschlecht oder der Pluralendung hast, kannst du im Lehrbuch nachsehen: Seiten 31-35.

C *Diese Wörter sind in der falschen Reihenfolge. Kannst du sie in der richtigen Reihenfolge schreiben?*

1. Ende, das, zu, ist, Spiel.
2. Heimweg, sie, bald, dem, sind, auf.
3. eins, der, es, Halbzeit, in, eins, steht, zu.
4. Mannschaft, Tor, die, schiesst, ein, eine.
5. geschafft, es, Mannschaft, hat, unsere.

Karl isst

A 1. Wann steht Karl jeden Morgen auf?
2. Wann fängt die Schule an?
3. Wie lange dauert der Schulweg?
4. Wieviel Minuten Pause hat er nach jeder Stunde?
5. Wann ist die Schule aus?
6. Wann gibt es Mittagessen?
7. Wann bekommt Karl Kaffee?
8. Wann gibt es Abendessen?
9. Wann geht Karl ins Bett?
10. Isst er viel?

B *Schreibe die Sätze ab und setze die Uhrzeit, die für dich gilt!*

1. Ich stehe um —— auf.
2. Ich frühstücke um ——
3. Um —— fängt die Schule an.
4. Die Schule ist um —— aus.
5. Ich esse um —— zu Mittag.
6. Ich gehe um —— zu Bett.

C *Beantworte diese Fragen!*

1. Wann hast du frei?
2. Wie heissen die vier Jahreszeiten?
3. An welchem Tag gehen wir in die Kirche?
4. Arbeitest du am Montag?
5. In welchem Monat hast du Ferien?
6. Wieviele Wochentage gibt es?
7. Um wieviel Uhr kommst du zur Schule?
8. Wie lange dauert die grosse Pause?
9. Was isst du zu Mittag?
10. Um wieviel Uhr gibt es Abendessen?

Frühling, Sommer, Herbst und Winter|22

A
1. Wie ist es im Winter?
2. Was tun viele Leute?
3. Was gibt es zu Weihnachten?
4. Zwitschern die Vögel im Frühling?

5. Wie sind die Tage im Sommer?
6. Womit kommt der Herbst?
7. Was tust du im Sommer?

B Ich lerne selten, aber ich spiele oft Fussball. Wir ——

Du lernst selten, aber du spielst oft Fussball. Ihr ——

Er ——   Sie ——

C *Ergänze!*

1. (scheinen)   Im Sommer —— **die Sonne.**
2. (singen)   **Die Vögel** —— im Frühling.
3. (spielen)   **Die Jungen** —— im Winter Handball.
4. (schlafen)   **Wir** —— in der Schule — wie immer.
5. (sagen)   **Was** —— **Sie, Herr Müller?**
6. (warten)   **Ich** —— auf den Sommer.
7. (gehen)   —— **Karl und Hans** zur Schule?
8. (rufen)   **Du** —— jeden Morgen „Auf Wiedersehen".
9. (trinken)   —— **Sie** morgens eine Tasse Kaffee, **Herr Sauer?**
10. (bekommen)   **Herr Sauer** —— zu Weihnachten keine Geschenke.

D z.B. Es ist kalt im Winter. Im Winter ist es kalt.

1. Es ist windig im Herbst.
2. Es ist warm im Sommer.
3. Wir bekommen Geschenke zu Weihnachten.
4. Wir sehen die ersten Blumen im Frühling.
5. Schnee kommt oft zu Neujahr.
6. Wir haben Ferien zu Ostern.

Antons Moped

A 1. Wo arbeitet Anton?
    2. Hat er ein Auto oder ein Moped?
    3. Was will Anton haben?
    4. Fährt Anton auf der Strasse?
    5. Wie ist der Verkehr?
    6. Fliegt Anton plötzlich durch die Luft?
    7. Wo liegt er?
    8. Wofür spart Anton jetzt?

B **Ich wandere** jeden Abend. Dann **bade ich.** Erika und Hans ——
   Du wanderst jeden Abend. Dann **badest du.** Erika und ich ——
   Karl ——. Hans und du ——
   Ich arbeite in der Schule. **Ich schreibe** und **rechne.**   Wir ——
   Du arbeitest in der Schule. **Du schreibst** und **rechnest.**   Ihr ——
   Er ——   Sie ——

C *Kannst du diese Pyramide aufbauen?*

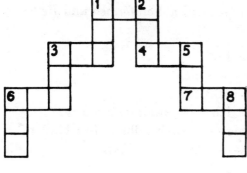

WAAGERECHT:

1. —— alt bist du?
3. Um ein Uhr ist die Schule ——.
4. Antons Moped ist nicht ——. Es ist alt.
6. Herr Sauer isst Kartoffeln, Fleisch und Gemüse. Neben—— sitzt ein Hund.
7. Die Sonne ist ——.

SENKRECHT:

1. —— kostet ein neues Moped?
2. Anton hat —— Moped.
3. Fuss—Bein; Hand ——?
5. Um acht —— fängt die Schule an.
6. Bist du ein Junge? Ja, —— bin ein Junge.
8. Etwas verkaufen? Aber was? Den alten Fussball vielleicht. Das —— er.

Karl isst weiter

A 1. Will Karl zum Friseur gehen?
2. Was tut er zuerst?
3. Wie will er aussehen?
4. Bedient er sich selbst?

5. Was wünscht sich Erika?
6. Was wünscht sich Hans?
7. Was wünscht sich Karl?
8. Was wünschst du dir?

B *Bilde Sätze!*

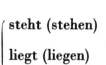

1. Oben im Zimmer
2. Unten im Zimmer
3. Hinten im Zimmer
4. Vorne im Zimmer
5. Mitten im Zimmer
6. Links im Zimmer
7. Rechts im Zimmer

steht (stehen)

liegt (liegen)

hängt (hängen)

sitzt (sitzen)

C *Schreibe diese Sätze ab und setze die fehlenden Verbformen und Reflexivpronomen ein!*

1. Ich freue ——, aber du —— nicht.
2. Erika kämmt ——, aber Hans —— nicht.
3. Wir setzen ——, aber ihr —— nicht.
4. Wäscht du —— jeden Tag? Ja, ich —— zweimal am Tag.
5. Ich bediene —— selbst. —— Sie —— auch selbst, Herr Müller?
6. Erika putzt —— die Zähne. —— Hans und Karl —— auch die Zähne?

D *Sage den Leuten, was sie machen sollen!* z.B. Hans macht die Tür auf. Hans, **mach die Tür auf!**

1. sich anziehen: Karl zieht sich an. Karl, ——!
2. aufstehen: Erika steht auf. Erika, ——!
3. abstellen: Herr Müller stellt den Wecker ab. Herr Müller, ——!
4. mitbringen: Die Kinder bringen die Hefte mit. Kinder, ——!
5. aufwachen: Frau Süss wacht sofort auf. Frau Süss, ——!

Erika hat eine Erkältung

A 1. Ist Erika krank?
2. Hat sie Fieber und Kopfschmerzen?
3. Hat sie eine Erkältung?
4. Wo liegt sie?
5. Was isst sie?
6. Was tut sie?
7. Wer ist Frau Süss?
8. Was hat Frau Süss mitgebracht?
9. Wer ist traurig?
10. Warum ist Erika froh?

B *Ergänze!*

1. Erika **spielt** Schallplatten. —— du auch Schallplatten?
2. Karl **trinkt** eine Tasse Kaffee, aber Hans —— ein Glas Milch.
3. Ich **bade** oft. —— Sie auch oft, Herr Sauer?
4. Hans **rechnet** schlecht. Erika und Karl —— gut.
5. Erika und Frau Süss **lachen,** aber Herr Sauer —— nicht.
6. Wir **wandern** oft, aber du —— nicht oft.

C *Ergänze!*

1. Ich **spreche** Englisch, aber du —— Deutsch.
2. Wir **schlafen** in der Schule, aber der Lehrer —— nicht.
3. Herr Sauer **liest** Zeitung. —— ihr auch Zeitung, Karl und Hans?
4. Hans und Erika **laufen,** aber Karl —— nicht.
5. Erika **hilft** Frau Süss, und du —— Herrn Sauer.
6. Ich **wasche** mich, aber Hans —— sich nicht.
7. Ich **esse** nicht oft, aber Karl —— sehr oft.
8. Karl **fährt** mit dem Zug. —— ich auch mit dem Zug?

D *Schreib, was die Leute machen!* z.B. Herr Müller, machen Sie die Tür
auf! Herr Müller **macht** die Tür **auf.**

1. hinausgehen: Erika, geh nicht ohne den Schirm hinaus! Erika ——
2. hereinkommen: Karl und Hans, kommt sofort herein! Karl und
Hans ——
3. mitnehmen: Frau Süss, nehmen Sie die Katze mit! Frau Süss ——
4. sich umziehen: Anton und August, zieht euch vor dem Abendessen
um! Anton und August ——
5. aufwachen: Karl, wach sofort auf! Karl ——

Eine Reise

A 1. Wer macht eine Reise?
2. Wo ist Herr Müller?
3. Wann trägt Herr Müller seinen Koffer in ein Hotel?
4. Was liest er in der Zeitung?
5. Was schreibt er?
6. Was muss er haben, wenn er schreibt?

B *Schreibe die Fragen und Antworten!*

Ich bin Herr Müller.
1. Frage mich, ob ich Lehrer bin!
2. Frage mich, ob ich Fussball spiele!
3. Frage mich, ob ich Deutsch spreche!
4. Frage mich, ob Hans in der Schule schläft!
5. Frage Karl, ob er ein Butterbrot isst!
6. Frage Hans und Erika, ob sie Angst haben!
7. Frage Herrn Sauer und mich, ob wir eine Glatze haben!
8. Frage Karl, ob Erika und Hans jeden Tag schreiben!

C *Bilde Sätze nach folgendem Beispiel!*

z.B. ein Brief   Hast du einen Brief? Ja, ich habe einen Brief.
ein Pass
ein Fahrplan
ein Koffer

z.B. eine Ansichtskarte   Hast du eine Ansichtskarte? Ja, ich habe eine Ansichtskarte.

eine Reisetasche
eine Briefmarke
eine Fahrkarte

z.B. ein Telegramm   Hast du ein Telegramm? Ja, ich habe ein Telegramm.

ein Telefon
ein Stück Briefpapier
ein Visum

Im Kino

A 1. Wer will einen guten Film sehen?
2. Sind die Eintrittskarten teuer?
3. Was muss Karl bezahlen?
4. Was hat Karl einmal gesehen?
5. Wer kennt die Schauspieler?
6. Sieht Karl den Schauspieler in einem neuen Film?

B *Ergänze die richtige Akkusativform des bestimmten Artikels!*

(a) der Film: Karl will —— Film sehen.
der Schauspieler: Kennst du —— Schauspieler?
der Ball: Hat Anton —— Ball?
der Wein: Der Lehrer trinkt —— Wein.
der Wagen: Herr Sauer kauft sich —— Wagen.

(b) die Musik: Frau Süss hört —— Musik.
die Banane: Erika isst —— Banane.
die Milch: Trinkt Karl —— Milch?
die Jacke: Herr Sauer kauft sich —— Jacke.
die Tante: Anton besucht —— Tante.

(c) das Kino: Die Jungen besuchen —— Kino.
das Geschenk: Das Mädchen bekommt —— Geschenk.
das Ei: Das Kind isst —— Ei.
das Wasser: Das Pferd trinkt —— Wasser.
das Buch: Die Schüler lesen —— Buch.

C *Beantworte diese Fragen!*

1. Hast du einen kleinen Hund? Ja, ——
2. Trinkt dein Vater den roten Wein? Ja, ——
3. Liest du die deutsche Zeitung? Ja, ——
4. Spielt Erika die neue Schallplatte? Ja, ——
5. Kauft Karl das neue Fahrrad? Ja, ——

Noch eine Reise

A 1. Will August eine Reise machen?
2. Packt er seinen Koffer und seine Reisetasche?
3. Was nimmt er mit?
4. Ist August vorsichtig?
5. Trägt Anton seinen Koffer zur Haltestelle?
6. Wer steigt in die Strassenbahn?
7. Schläft er?
8. Was vergisst er in der Strassenbahn?

B *Schreibe die Fragen und die Antworten!*

Ich bin Karl.
1. Frage mich, ob ich deinen Ball habe!
2. Frage mich, ob ich meinen Ball habe!
·3. Frage mich, ob Anton seinen Koffer trägt!
4. Frage mich, ob Erika ihre Schallplatte spielt!
5. Frage mich, ob das Kind sein Spielzeug hat!
6. Frage Hans und mich, ob wir eure Bälle haben!
7. Frage Hans und mich, ob wir unsere Koffer packen!
8. Frage Herrn Müller, ob er seine Reisetasche packt!

C *Schreibe ab und setze das richtige deutsche Wort für „this" ein!*

1. —— Ball ist nicht rot. Er ist blau.
2. Hier ist ein Platz, aber —— Platz ist nicht frei.
3. —— Reisetasche ist schwer.
4. —— Schild ist ganz neu.
5. Ich nehme immer —— Regenschirm mit.
6. Ich kann —— Koffer nicht tragen.
7. Hast du —— Jacke gesehen?
8. Besuchst du —— Kino oft?

	M.	F.	N.
NOM.	dieser	diese	dieses
AKK.	diesen	diese	dieses

Hans arbeitet

A 1. Arbeitet Hans an der Tankstelle?
    2. Warum arbeitet er?
    3. Was tut er?
    4. Wäscht er gern Autos?
    5. Was kennt Hans schon?
    6. Wohin will er einmal fahren?
    7. Was muss er erst machen?

B *Setze in den Plural!*

    1. Der Ausländer sieht die Tankstelle.
    2. Der Tourist trägt den Koffer.
    3. Der Mann liest die Zeitung.
    4. Die Frau schreibt den Brief.
    5. Die Dame findet einen Briefumschlag.

    6. Der Lehrer kauft einen Wagen.
    7. Die Frau liest ein Buch.
    8. Das Kind bekommt ein Geschenk.
    9. Die Katze sieht einen Hund.
  10. Der Ausländer sucht ein Hotel.

C *Setze in den Singular!*

    1. Jungen essen gern Äpfel.
    2. Mädchen trinken gern Limonade.
    3. Lehrer rauchen gern Pfeifen.
    4. Ausländer kaufen gern Geschenke.
    5. Damen tragen gern Hüte.

D *Kannst du diese Sätze richtig schreiben?*

    1. Autos — füllt — in — er — die — Benzin.
    2. Autos — vorbei — viele — an — fahren — der — Tankstelle.
    3. Öl — er — in — prüft — im — den — Reifen — Motor — Luft — und — die — das.

Herr Müller in Schottland | 30

A 1. Wer ist Herr Müller?
2. Wo war er im vorigen Sommer?
3. Wer zeigte ihm den Weg?
4. Was sagen die Jungen?
5. Liegt Alloway in Schottland?
6. Wohin wollte Herr Müller fahren?

B *Setze den bestimmten Artikel ein!*

	M.	F.	N.	PLUR.
NOM.	der	die	das	die
ACC.	den	die	das	die
DAT.	dem	der	dem	den (-n)

NOMINATIV

1. —— Bleistift ist rund.
2. —— Tante ist dick.
3. —— Spielzeug ist klein.
4. —— Bleistifte sind rund.
5. —— Tanten sind dick.
6. —— Spielzeuge sind klein.

DATIV

1. Ich schreibe **mit** —— Bleistift.
2. Ich spreche **mit** —— Tante.
3. Ich spiele **mit** —— Spielzeug.
4. Wir schreiben **mit** —— Bleistiften.
5. Wir sprechen **mit** —— Tanten.
6. Wir spielen **mit** —— Spielzeugen.

C *Beantworte diese Fragen!*

1. Womit spielst du?
2. Womit schreibst du?
3. Womit sprichst du?
4. Womit kämmst du dich?
5. Mit wem sprichst du?

D *Beantworte diese Fragen!*

1. Wo spricht man Englisch?
2. Sprichst du Deutsch?
3. Was spricht man in Schottland?

Anton kommt zu Besuch

A 1. Wer kommt heute zu Besuch?
2. Wo wohnt Anton?
3. Wer trägt Antons Gepäck?
4. Was trägt Anton?
5. Wohin gehen sie?
6. Wer wohnt in dem Hochhaus?
7. Hat das Hochhaus einen Fahrstuhl?
8. Wie lange dauert der Aufstieg?

B **Der** Tisch ist alt. Ich sehe **den** Tisch.

Setze ,,der" oder ,,den" ein!

1. —— Ball ist rund. 2. Ich sehe —— Ball. 3. Siehst du —— Ball auch? 4. Ja, ich sehe —— Ball. 5. —— Hut ist auch rund. 6. Siehst du —— Hut? 7. Ja, ich sehe —— Hut. 8. —— Hut ist alt. 9. Ist —— Kopf zu gross? 10. Nein, —— Kopf ist nicht zu gross. 11. —— Hut ist zu klein. 12. Wo ist —— Hut? 13. Ich sehe —— Hut nicht. 14. Jetzt sehe auch ich —— Hut nicht mehr.

C

Substantiv	Pronomen
Karl, siehst du **den Tisch**?	— Ja, ich sehe **ihn**.
Siehst du auch **die Lampe**?	— Ja, ich sehe **sie**.
Siehst du **das Schwein**?	— Nein, ich sehe **es** nicht.
Siehst du **die Tische**?	— Ja, ich sehe **sie**.

D *Beantworte diese Fragen mit Personalpronomen!*

1. Siehst du **die** Tafel?
2. Siehst du **die** Tür?
3. Siehst du **den** Schrank?
4. Siehst du **das** Buch?
5. Siehst du **die** Lampen?
6. Siehst du **das** Radio?
7. Siehst du **das** Heft?
8. Siehst du **den** Lehrer?
9. Kämmst du **dich**?
10. Kennst du **mich**?
11. Findest du **Karl**?
12. Fragst du **Erika**?
13. Suchst du **das** Kind?
14. Besuchst du **uns**?
15. Wascht ihr **euch**?
16. Hörst du **die** Schüler?

Winterschlussverkauf

A 1. Stehen viele Leute in der Schlange?
2. Wer steht in der Schlange?
3. Wie ist die Schlange?
4. Wer steht noch in der Schlange?
5. Findet Frau Süss etwas Passendes?
6. Was ruft sie?
7. Was antwortet der Verkäufer?
8. Bekommt Frau Süss den Stoff?

B *Schreibe ab und setze die richtige Form von ,,sein" ein!*
1. **Hans** —— ein Junge. 2. **Erika** —— ein Mädchen. 3. **Herr Sauer** —— ein Mann. 4. Was —— **du**? 5. **Ich** —— ein Junge. 6. —— **du** ein Mädchen? 7. Nein, **ich** —— kein Mädchen, **ich** —— ein Junge. 8. **Hans und Karl** —— Jungen. 9. **Wir** —— Schüler und Schülerinnen. 10. Wieviel Schüler —— **ihr**? 11. **Wir** —— 30 Jungen.

C *Schreibe ab und setze die richtige Form von ,,haben" ein!*
1. **Ich** —— viele Aufgaben. 2. —— **du** auch viele Aufgaben? 3. Nein, **ich** —— keine Aufgaben. 4. **Wir** —— heute keine Schule. 5. Was —— **ihr**? 6. **Wir** —— Zeit. 7. Was —— **Erika**? 8. **Erika** —— einen Hund. 9. **Frau Süss** —— eine Katze. 10. **Die Kinder** —— einen Vater und eine Mutter. 11. **Karl** —— eine Tante auf dem Lande.

D *Ergänze mit der richtigen Dativform!*
1. Ich schreibe mit dies– Bleistift.
2. Hans spielt mit sein– Bruder.
3. Helga arbeitet mit ihr– Vater.
4. Herr Sauer fährt mit dies– Zug.
5. Erika tanzt mit ihr– Freund.

E *Beantworte auf Deutsch!*
1. Mit wem tanzt Erika?
2. Mit welchem Zug fährt Herr Sauer?
3. Mit wem arbeitet Helga?
4. Mit wem spielt Hans?
5. Womit schreibe ich?

Wo ist August?

A 1. Wer ist August?
   2. Ist er bei Anton?
   3. Wo ist August?
   4. Wer sucht August?
   5. Wie sieht August aus?
   6. Was für Kleider hat er?

B Die Sachen **des Mannes.**

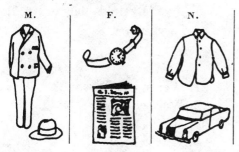

M.   F.   N.

A. **Der** Anzug **des** Mannes ist neu.
B. Ich sehe **den** Anzug **des** Mannes.
Bilde ähnliche Sätze mit den links abgebildeten Gegenständen!

C Die Sachen **der Frau.**

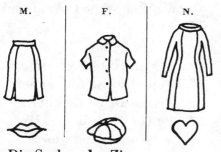

M.   F.   N.

A. **Der** Rock **der** Frau ist teuer.
usw.
B. Ich sehe **den** Rock **der** Frau.
usw.
Bilde ähnliche Sätze mit den links abgebildeten Gegenständen!

D Die Sachen **des Zimmers.**

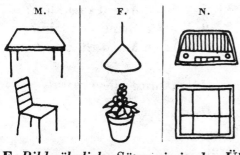

M.   F.   N.

NOM. + GEN.

A. **Der** Tisch **des** Zimmers ist gross. usw.

AKK. + GEN.

B. Ich sehe **den** Tisch **des** Zimmers. usw.

E *Bilde ähnliche Sätze wie in den Übungen B-D, aber diesmal im Plural!*
   z.B. **Die** Anzüge **der** Männer sind neu. usw.
      Die Röcke **der** Frauen sind teuer. usw.
      Die Tische **der** Zimmer sind gross. usw.

Karl im Zug

A 1. Wer will seine Tante besuchen?
2. Was darf Karl bei der Tante tun?
3. Setzt sich Karl in ein Raucher- oder Nichtraucherabteil?
4. Wie heisst der Kriminalroman?
5. Wieviel Kilometer fährt Karl zu weit?
6. Wieviel Geld hat er in der Tasche?

B NOMINATIV

1. Wer spielt Fussball?
2. Wer schreibt?
3. Wer schläft?
4. Wer arbeitet?
5. Wer trinkt Kaffee?
6. Wer knipst die Fahrkarten?

C GENITIV

M

F

N

1. Wessen Hut ist gross?
2. Wessen Füsse sind gross?
3. Wessen Beine sind kurz?
4. Wessen Haar ist lockig?
5. Wessen Nase ist gross?
6. Wessen Mund ist klein?
7. Wessen Augen sind klein?
8. Wessen Beine sind kurz?
9. Wessen Mund ist gross?

D *Bilde Sätze nach folgendem Beispiel und beantworte die Fragen!*

z.B. Wie ist Augusts Haar? Augusts Haar ist schwarz.
1. —— Karl– Anzug? (altmodisch)
2. —— Herr– Sauer– Auto? (modern)
3. —— Erika– Hund? (dick)
4. —— Anton– Moped? (kaputt)

[34]

Herr Sauer fährt Auto | 35

A 1. Fährt Herr Sauer Auto oder Fahrrad?
2. Muss er durch die ganze Stadt?
3. Bremst er zu früh oder zu spät?
4. Ist er gegen ein Auto gefahren?
5. Wer kommt dazu?
6. Wer muss die Kosten bezahlen?
7. Ist Herr Sauer ein guter Autofahrer?

B Ich gehe nicht **ohne**

einen   eine   ein

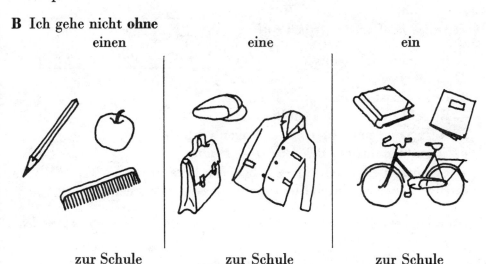

zur Schule   zur Schule   zur Schule

C Für wen ist das Geschenk? — Das Geschenk ist **für**

den   die   das   die

Auf dem Flugplatz

A 1. Wie heisst der Onkel?
2. Wo wohnt er?
3. Was macht Hans auf dem Flugplatz?
4. Wie sieht Onkel Bill aus?
5. Hat er rote oder blaue Strümpfe?
6. War Onkel Bill nicht am Flugplatz?
7. Wo trifft Hans Onkel Bill?
8. Ist Onkel Bill zu früh oder zu spät gekommen?

B *Setze den bestimmten Artikel ein!*

M.	F.	N.
den	die	das

1. Herr Sauer fährt **durch** —— **Stadt.**
2. Er fährt **gegen** —— **Auto** vor ihm.
3. Ein Polizist kommt **um** —— **Ecke.**
4. Er geht **um** —— **Wagen** herum.
5. Herr Sauer muss **ohne** —— **Wagen** weiterfahren.
6. Später kommt ein Brief **für** —— **Mann.**
7. Er muss die Kosten **für** —— **Schaden** bezahlen.
8. Herr Sauer ist wütend und läuft **um** —— **Haus** herum.

C (werden = *to become*) *Schreibe ab und setze die richtige Form von „werden"
ein!*

1. Hans, —— **du** leicht unruhig? 2. Nein, **ich** —— nicht leicht unruhig. 3. **Ich** —— aber leicht müde. 4. —— **Erika und Karl** auch müde? 5. Erika und Karl, —— **ihr** leicht müde? 6. Nein, **wir** —— nicht leicht müde. 7. **Sie** —— nicht müde. 8. **Karl** —— aber leicht hungrig.

D (werden *as future tense with infinitive*) *Schreibe ab und setze die richtige
Form von „werden" ein!*

1. Hans, —— **du** morgen Fussball spielen? 2. Nein, **ich** —— meinen Onkel abholen. 3. **Das Flugzeug** —— um zwei Uhr kommen. 4. Dann —— **du** nicht zur Schule gehen. 5. Doch, **ich** —— ihn erst nach der Schule abholen. 6. Dann —— **wir** allein spielen. 7. Ja, aber **die anderen Jungen** —— morgen auch Fussball spielen.

Frau Süss hat Gäste

A 1. Wer hat heute abend Gäste?
2. Um wieviel Uhr sollen die Gäste kommen?
3. Muss die Katze etwas zu trinken haben?
4. Was fällt auf den Fussboden?
5. Kommen die Gäste?
6. Was rufen sie?
7. Warum hört Frau Süss nichts?
8. Was macht sie im Badezimmer?
9. Sind die Gäste froh?
10. Gehen die Gäste nach Hause?

B *Ergänze mit der richtigen Form des Modalverbs!*
1. DÜRFEN (*to be allowed to*)
Ich —— nicht rauchen; ich bin zu jung.
—— du samstags lange schlafen?
Karl —— nicht allein ins Kino gehen.
Wir Kinder —— abends nicht hinausgehen.
2. KÖNNEN (*to be able to*)
—— du schnell laufen?
Frau Süss —— ihre Katze nicht finden.
Karl —— gut Klavier spielen.
Später —— wir einkaufen gehen.
3. MÜSSEN (*to have to*)
Molle —— etwas zu fressen haben.
Ich —— mich schnell waschen.
Montag —— wir zur Schule gehen.
Heute —— Herr Sauer durch die Stadt fahren.
4. SOLLEN (*to be supposed to*)
Die Gäste —— um 8 Uhr kommen.
Ich —— ihn vom Flugplatz abholen.
Ohne gute Laune —— man nicht Auto fahren.
Wir —— heute spät arbeiten.
5. WOLLEN (*to want to*)
Frau Süss —— das Haus sauber machen.
—— du heute abend ins Kino gehen?
Karl —— nachmittags schnell nach Hause gehen.
Nachmittags —— wir baden.

Frau Süss fährt weg | 38

A 1. Was möchte Frau Süss gern?
   2. Wie oft fährt sie aus der Stadt fort?
   3. Fährt Frau Süss allein?
   4. Wie heisst die kleine Katze?
   5. Wer bekommt eine Ansichtskarte?
   6. Darf Frau Süss viel essen?
   7. Was wird sie zu Hause tun?

B Womit spielt das Kind? Das Kind spielt **mit**

    einem   einer   einem

C Von wem bekommst du das Paket? Ich bekomme das Paket **von**

   dem   der   dem   den

D 1. Woraus trinkst du?
   2. Bei wem arbeitest du?
   3. Schläfst du nach dem Essen?
   4. Wann schläfst du noch?
   5. Zu wem gehst du?

Die Zahnbürste LINKSFIELD ACADEMY | 39

A 1. Hat Herr Müller es eilig?
2. Hat er viel oder wenig Zeit?
3. Was soll er tun?
4. Was fragt das Fräulein?
5. Hat Herr Müller etwas vergessen?
6. Kauft er zwei Zahnbürsten?
7. Bekommt Frau Müller die alte oder die neue Zahnbürste?
8. Was macht sie mit der alten Zahnbürste?

B *Schreibe ab und setze die richtige Dativformen ein!*

M.	F.	N.	PL.
dem	der	dem	den

1. Der Vater gibt —— **Sohn** einen Ball. 2. Die Mutter gibt —— **Tochter** eine Puppe. 3. Das Kind gibt —— **Mädchen** ein Buch. 4. Die Frauen geben —— **Kindern** Spielzeuge. 5. Die Frau gibt —— **Mann** ein Paket. 6. Der Mann gibt —— **Frau** eine Blume. 7. Der Herr gibt —— **Kind** ein Geschenk. 8. Der Onkel gibt —— **Schülerinnen** Bücher. 9. Die Damen geben —— **Herrn** keine Blumen. 10. Die Herren geben —— **Damen** Blumen.

C Die Lehrerin gibt **dem** Schüler **ein** Buch.
Bilde Sätze!

SUBJEKT	VERB	DATIVOBJEKT	AKKUSATIVOBJEKT
Lehrer	gibt	Bruder	Reisetasche
Lehrerin	schenkt	Schwester	Zahnbürste
Tante	kauft	Schülerin	Brief
Mann	zeigt	Schüler	Ohrfeige
Schauspieler	gibt	Ausländer	Becher
Fräulein	schenkt	Freund	Koffer
Gast	kauft	Nachbarin	Buch
Mädchen	zeigt	Kind	Hotel

[39]

Erika auf dem Lande

A 1. Wann wohnt Erika auf dem Lande?
2. Bei wem wohnt sie?
3. Hat ihr Onkel einen kleinen oder einen grossen Bauernhof?
4. Ist Erikas Arbeit anstrengend oder leicht?
5. Welche Tiere gibt es auf dem Bauernhof?
6. Wo wohnen Erikas Eltern, auf dem Lande oder in der Stadt?

B *Schreibe ab und setze die richtige Form von „sein" oder „ihr" ein!*

1. **Herr Sauer** fährt mit —— Auto in die Stadt.
2. **Frau Süss** fährt mit —— Rad zu einer Freundin.
3. **Karl** fährt mit dem Zug zu —— Tante.
4. **Erika** fährt zu —— Onkel aufs Land.
5. **Sie** fährt mit —— dicken Hund.

C *Schreibe ab und setze die richtige Form von „sein" oder „ihr" ein!*

1. Nach —— Ferien hat Karl kein Geld.
2. Herr Müller kommt aus —— Zimmer.
3. Herr Sauer spricht viel von —— Auto.
4. Hans hat kein Geld und geht zu —— Grossvater.
5. Nach den Ferien kehrt Helga zu —— Eltern zurück.
6. Die Jungen bekommen keine Geschenke von —— Tante.
7. Herr Sauer ist sehr müde nach —— Reise.
8. Karl spielt mit —— Freunden.
9. Erika wohnt bei —— Onkel auf dem Lande.
10. Anton und August trinken aus —— Tassen.

[40]

Der Brief nach Schottland

A 1. Wann hat Herr Müller nach Schottland geschrieben?
  2. Hat er einen Brief oder eine Karte geschrieben?
  3. Wollen alle den Brief hören?
  4. Liest Herr Müller den Brief vor?
  5. Wie heissen die schottischen Jungen?
  6. Wollen sie nach Deutschland fahren?
  7. Ist Herr Müller schon in Schottland gewesen?

B *Ergänze die richtige Imperativform!*

1. Geh an die Tür, Karl!
   ——, Herr Müller!
   ——, Erika und Hans!
2. Geben Sie mir eine Zeitung, Herr Sauer!
   ——, Karl!
   ——, Anton und August!
3. Setzt euch bitte, Kinder!
   ——, Herr Direktor!
   ——, Erika!

C Karl soll singen.   Sage es ihm!
  Herr Müller soll spielen.   Sage es ihm!
  Erika soll tanzen.   Sage es ihr!
  Frau Süss soll Kaffee trinken.   Sage es ihr!
  Karl und Hans sollen antworten.   Sage es ihnen!
  Hans soll nicht schlafen.   Sage es ihm!

Der Klassenausflug

A 1. Wer macht einen Klassenaus-
flug?
2. Wohin wollen sie?
3. Um wieviel Uhr geht es los?
4. Ist Karl Pfadfinder?
5. Wo machen die Schüler halt?
6. Was liegt unter ihnen?
7. Liegen tiefe Täler zwischen
den Bergen?
8. Wo geht die Sonne auf?
9. Wann sind die Schüler oben
auf dem Berg?

B *Beantworte die Fragen!*

1. **Sitzt** du jetzt auf **einem** Stuhl?
2. **Setzt** du **dich** jeden Tag auf **einen** Stuhl?
3. **Bist** du jetzt in **der** Schule?
4. **Gehst** du jeden Tag in **die** Schule?
5. **Liegt** dein Buch auf **deinem** Tisch?
6. **Legst** du dein Buch oft auf **deinen** Tisch?
7. **Sitzen** die Schüler auf **den** Stühlen?
8. **Setzen sich** die Schüler jede Stunde auf **die** Stühle?

C *Bilde Sätze!*

D. Ich stehe unter ——	Ich sitze neben ——	Ich stehe vor ——
A. Ich stelle mich unter ——	Ich setze mich neben ——	Ich stelle mich vor ——
D. dem ⎱ Regenschirm A. den ⎰	der ⎱ Dame die ⎰	dem ⎱ Fenster das ⎰
D. dem ⎱ Baum A. den ⎰	der ⎱ Schülerin die ⎰	dem ⎱ Haus das ⎰
D. dem ⎱ Mond A. den ⎰	der ⎱ Tante die ⎰	dem ⎱ Bild das ⎰

Karl arbeitet

A 1. Was hat Karls Onkel?
2. Wem hilft Karl?
3. Ist der Sitz des Fahrrads sehr hoch?
4. Warum?
5. Kennt Karl die Stadt gut oder schlecht?
6. Was hat Karl in der Tasche?
7. Wieviel Adressen stehen auf dem Zettel?
8. Wann wird Karl fünfzehn Jahre alt?
9. Was darf Karl dann tun?
10. Wie alt bist du?

B *Schreibe ab und setze die richtige Genitivform ein!*

SINGULAR
1. Ist der Motor —— **Autos** gut? 2. Der Hut —— **Frau** ist modern.
3. Das Haar —— **Kindes** ist rot. 4. Das Dach —— **Hauses** ist grün.
5. Das Licht —— **Lampe** ist hell. 6. Der Anzug —— **Mannes** ist schwarz.

PLURAL
1. Die Bilder —— **Zimmer** sind schön. 2. Die Wände —— **Häuser** sind grau. 3. Die Reifen —— **Autos** sind alt. 4. Die Ohren —— **Schweine** sind rosa. 5. Die Aufgaben —— **Kinder** sind schwer. 6. Die Bücher —— **Lehrer** sind teuer.

C *Schreibe diese Wörter in der richtigen Reihenfolge!*
1. gut —— kennt —— Stadt —— und —— Plätze —— der —— er —— Strassen —— die.
2. Sitz —— eigentlich —— des —— hoch —— Fahrrads —— zu —— ist —— der.
3. Fahrrad —— Stadt —— durch —— mit —— dem —— fährt —— Onkels —— er —— seines —— die.

D *Ergänze die richtige Form des Artikels (Dativ oder Akkusativ)!*
1. Er fährt mit —— Rad in —— Stadt.
2. Sie lassen das Auto in —— Werkstatt.
3. Das Kind läuft durch —— Garten in —— Haus.
4. Die Mutter legt die Teller auf —— Tisch.
5. Karl stellt sich unter —— Regenschirm.
6. Erika steht unter d—selben Regenschirm.

Miscellaneous Exercises for Revision

A *Setze in den Plural!*

1. Dieser Kopf ist gross.
2. Meine Hand ist klein.
3. Hier ist eine schöne Blume.
4. Wo ist der Lehrer?
5. Wo liegt das Paket?

Setze in den Singular!

1. Hefte sind kleiner als Bücher.
2. Hier sind die weissen Jacken.
3. Mädchen sind nicht immer nett.
4. Diese Hunde knurren nicht oft.
5. Die Fahrräder stehen dort.

(Siehe Lehrbuch Seite 109!)

B *Ergänze!*

1. anfangen: Heute f—— der Tag mit Deutsch ——.
2. aufmachen: Gisela m—— die Tür schnell ——.
3. anziehen: Klaus z—— seine Jacke ——.
4. ausziehen: Frau Süss z—— ihren Mantel ——.
5. zumachen: Karl, —— das Fenster ——!
6. fortgehen: August g—— um 6 Uhr ——!
7. vorlesen: Karl, l—— mir die Geschichte ——!
8. anmachen: Abends —— Mutter das Licht ——.
9. wegfahren: Jeden Sommer f—— Frau Süss ——.
10. aussehen: Du s—— sehr müde ——, Anton.

(Siehe Lehrbuch Seite 108!)

C *Ergänze!*

1. fahren: Ich —— in die Stadt. Er —— zum Theater.
2. sehen: Er —— seinen Vater. —— du deinen Freund?
3. geben: Ich —— ihm den Ball. —— er mir das Heft?
4. nehmen: —— du den Bus? Er —— ein Taxi.
5. lesen: Wir —— die Zeitung. —— er eine Zeitung?
6. laufen: Er —— zur Tür. —— Erika auch?
7. essen: Ich —— ein Butterbrot. Sie —— einen Apfel.

[44]

8. waschen: —— er seinen Wagen? —— den Hund, Karl!
9. fallen: Er —— ins Wasser. —— Sie oft?
10. fangen: · Ich —— Fische. Er —— nichts.

(Siehe Lehrbuch Seite 106!)

D *Ergänze das richtige Reflexivpronomen!*

1. Karl und Hans waschen —— jeden Tag.
2. Wascht —— gründlich, Jungen!
3. Morgens ziehen wir —— an.
4. Nach den Freiübungen zieht Herr Sauer —— an.
5. Hans und Erika setzen —— in die zweite Reihe.
6. Vor dem Abendessen ziehe ich —— um.
7. Setzen Sie —— bitte, Herr Müller!
8. Wie oft wäscht du ——, August?
9. Nach dem Fussballspiel ziehen —— die Jungen ——.
10. Die Tür öffnet ——, und der Hund kommt herein.

(Siehe Lehrbuch Seite 108!)

E *„Wo" oder „wohin"?*

1. Die Kinder gehen in d— Klassenzimmer.
2. Der Polizist geht über d— Strasse.
3. Wir stellen uns unter d— Baum.
4. Er legt das Buch auf d— Tisch.
5. Das Tischtuch liegt auf d— Tisch.
6. Er steckt den Kugelschreiber in d— Tasche.
7. August und Anton wohnen in ein— Dorf.
8. Der Schüler springt in d— Wasser.
9. Er schreibt die Wörter an d— Tafel.
10. Der Lehrer kommt in d— Klassenzimmer.

(Siehe Lehrbuch Seite 105!)

F *Ergänze die richtige Modalverbform!*

DÜRFEN 1. —— Erika sonntags spielen?

2. Wir —— nicht spät nach Hause kommen.

3. —— ich um diesen Tanz bitten?

KÖNNEN 4. —— du heute abend kommen?

5. Ich —— Deutsch gut lesen und sprechen.

6. Wir —— nicht jeden Tag Torte essen.

WOLLEN 7. Er —— nicht Latein lernen.

8. Freitag abend —— ich den Film sehen.

9. —— Sie heute abend fernsehen?

MÜSSEN 10. Herr Müller —— einen neuen Apparat kaufen.

11. Wir —— heute zur Bank.

12. Erika, —— du so früh weggehen?

(Siehe Lehrbuch Seite 107!)

G *Schreibe die Sätze ab, nach folgendem Beispiel!*

z.B. Wir fahren **jeden Tag** in die Stadt.
Jeden Tag fahren wir in die Stadt.

1. Er kauft **nächsten Montag** einen neuen Wagen.
2. Er steht **morgens** sehr früh auf.
3. Erika hat **heute** nichts zu tun.
4. Die Schüler essen Butterbrote **in der kurzen Pause.**
5. Der Hauptfilm fängt **um halb neun** an.
6. Mein Bruder hat **im Januar** Geburtstag.
7. Viele Leute laufen **im Winter** Ski.
8. Jedes Kind bekommt **zu Weihnachten** Geschenke.
9. Erika hat **seit vorgestern** Fieber und Kopfschmerzen.
10. Ein Telefonanruf kommt **am nächsten Morgen** für Herrn Müller.